OOR WULLIE

AUCHENSHOOGLE'S HAPPY LAD
DISNAE MEAN TAE BE SO BAD.

WHAUR WOULD OOR WULLIE BE WI'OOT HIS TRUSTY DUNGAREES?

OOR WULLIE'S GETTIN' A GOOD FEED,
BUT HE'LL HAE TAE WORK AFF A' THAT GREED.

COMPLAINTS ARE MADE ABOOT OOR LAD — BUT IS HE REALLY BEIN' BAD?

OOR WULLIE'S A BRAW MATE — HELPIN' BOAB WATCH HIS WEIGHT.

WULLIE'S HEART CAN ONLY BE WON WI' MINCE AN' TATTIES FOR ONE!

A DAY SPENT WI' FATHER AN SON
IS AYE SURE TAE BE BRAW FUN!

WULLIE WILL NEED TAE BE SLY
TAE HAVE A CHANCE O' GETTING BY.

WHO WANTS TAE SIT AN' WATCH TV WHEN YE COULD BE RACIN' YER CARTIE?

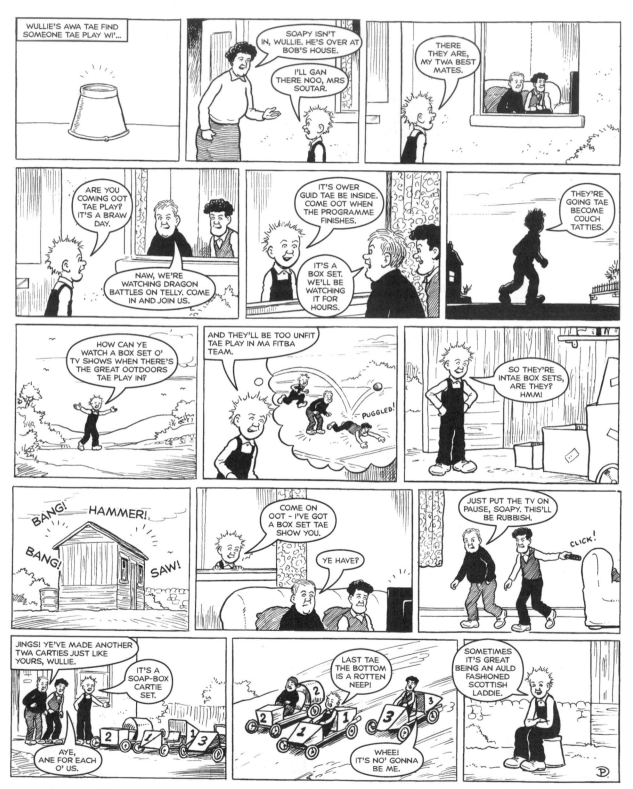

PRIMROSE'S GOT A WEE VISITOR TAE HER FAIRY HOOSE, WHO IS IT WULLIE WILL HAE TAE DEDUCE!

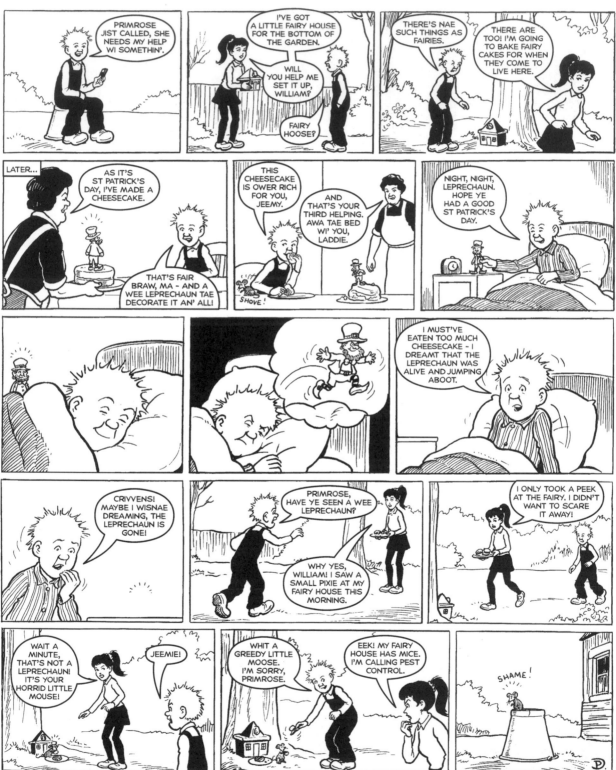

OOR WULLIE IS SUCH A SMARTY,
FIXIN' UP HIS BROKEN CARTIE.

WHEN WULLIE GOES FOR A WALK,
HE ENDS UP TRYIN' ON A' THE STOCK.

OOR WULLIE'S HOPPING MAD,
HE SURE IS A BOUNCY LAD!

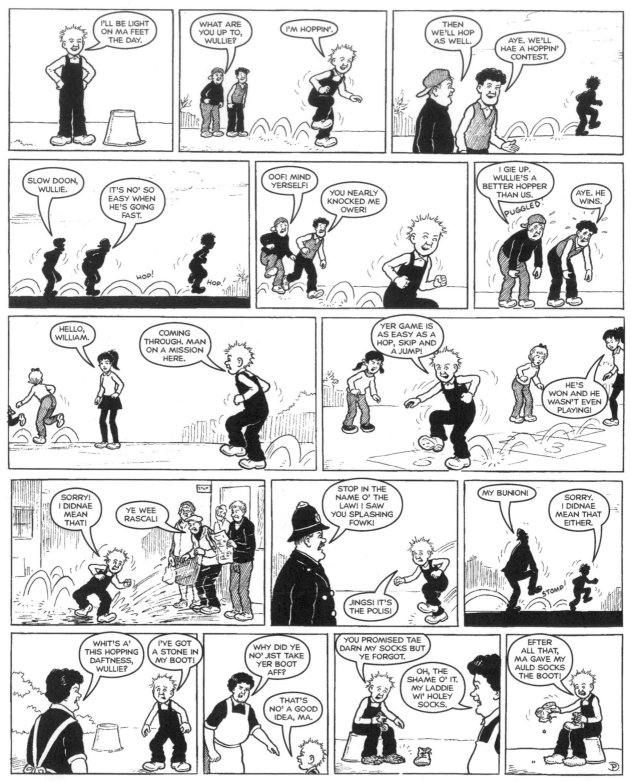

WULLIE'S RUNNIN' A MILE
TRYIN' TO MAK' A'BODY SMILE!

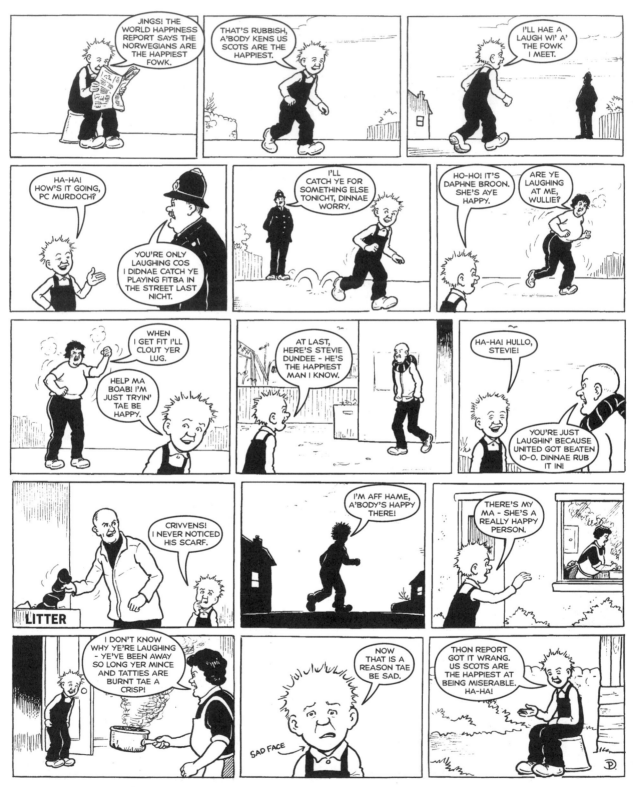

OOR WULLIE IS NAE FOOL, HE'S GOT A PLAN TAE GET AFF SCHOOL.

WULLIE'S ALL DOOM AND GLOOM,
HIS MA'S ONLY GIVEN HIM ANE SOOR PLOOM!

OOR WULLIE'S IN THE WRANG COURT TRYIN' TAE FIND A NEW SPORT.

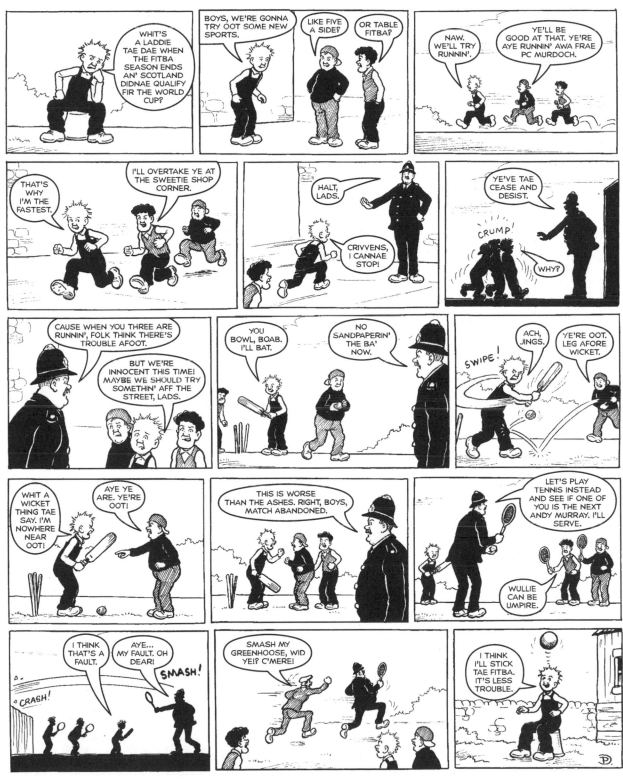

WULLIE'S LOOKIN' TAE PROTECT HIS TOON, WHEN THE ALIENS BEAM DOON!

THERE'S NO' MUCH THAT BEATS A TASTY BAG O' SWEETS!

PC MURDOCH'S GIEIN' CHASE,
BUT CAN HE MATCH WULLIE'S PACE?

WULLIE'S ROASTIN' IN THE HEAT
SO HE CHASES DOWN A TASTY TREAT!

WULLIE PROVES THAT HE'S NAE FOOL,
AFTER GETTIN' CAUGHT PLUNKIN' SCHOOL.

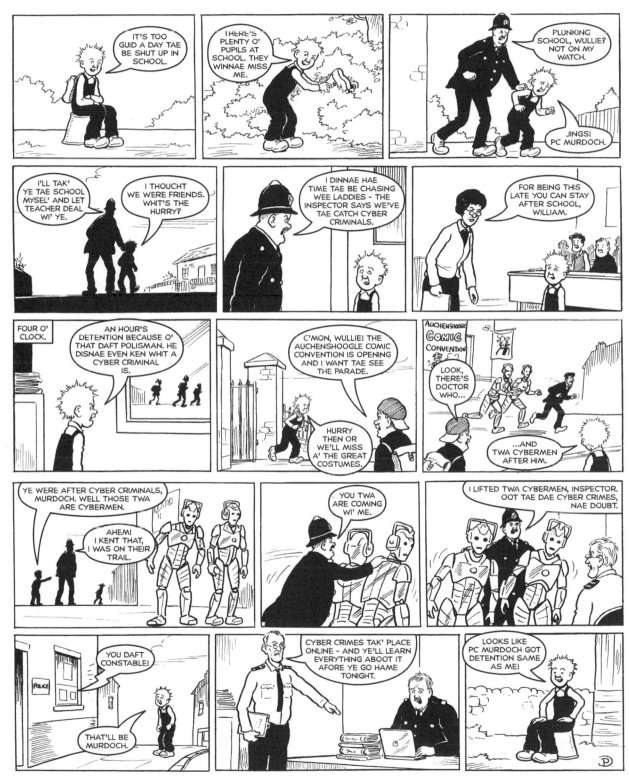

OOR WULLIE IS GOING GREEN,
HAE A LOOK AND SEE WHIT WE MEAN!

WULLIE'S NO FEELIN' VERY KEEN ON GIVIN' HIS ROOM A GUID OL' CLEAN.

WHEN WULLIE TAK'S SOME TIME TAE CHILL
HE JIST CANNAE SIT STILL!

OOR WULLIE'S A FITBA STUD, EVEN PLAYIN' IN THE MUD!

WHEN WULLIE'S ON THE LOOSE, THERE'S SOON MISCHIEF ABOOT THE HOOSE!

WULLIE'S NEW HOLIDAY PET
SURE MAK'S THE POOR BOY FRET!

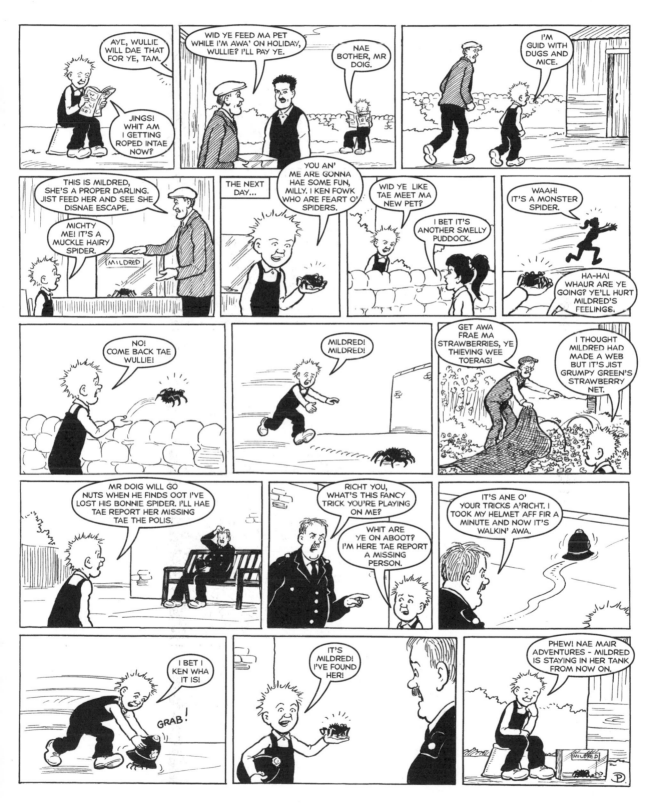

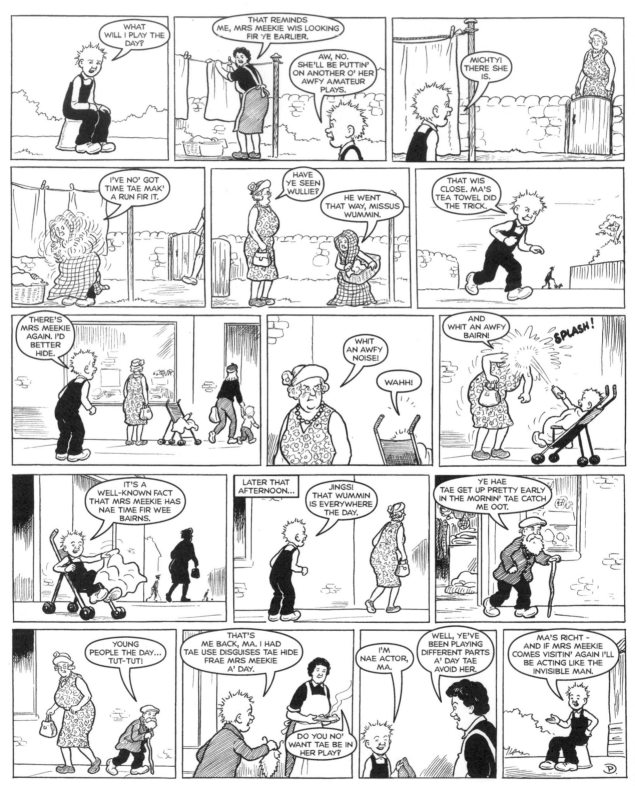

IS WULLIE BEIN' VAIN
WHEN HE SAYS HE CAN HANDLE RAIN?

WULLIE'S GOT A DELIVERY O' BREAD
BUT IT'S HIM WHA ENDS UP GETTIN' FED!

WULLIE TRIES TAE PULL A FAST ONE,
BUT SOON FINDS OOT LYING'S NAE FUN!

YE WINNAE BELIEVE YER EYES
WHEN YE SEE WULLIE'S DISGUISE!

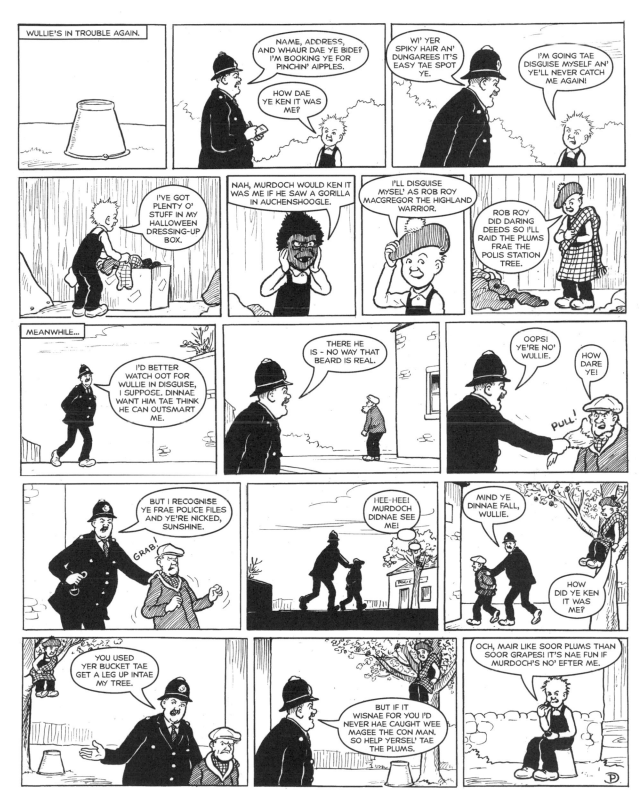

WULLIE'S FEELIN' AWFY LOW
TILL HE MAKES A BRAW LOOKIN' SCARECROW!

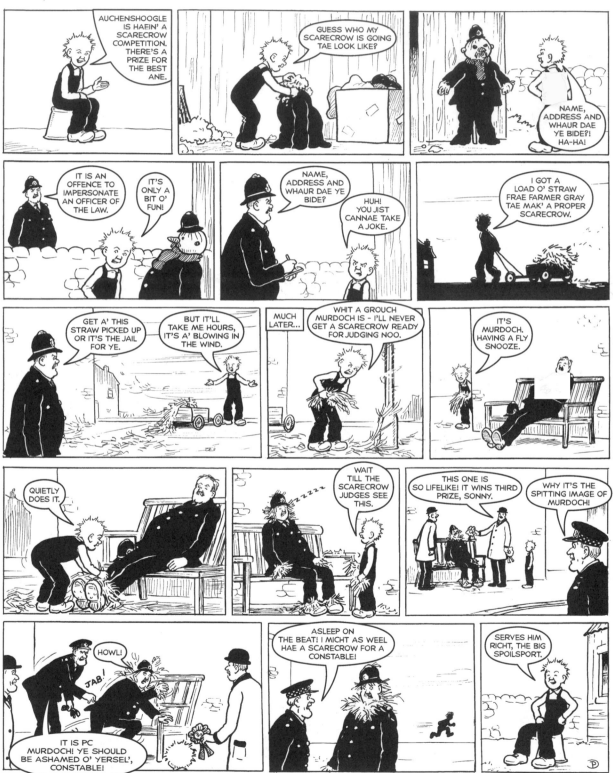

YE'LL NEVER GUESS
TAE WHIT QUESTION WULLIE SAID "YES"!

WULLIE'S NO' PLAYIN' NICE —
HE'S SKATIN' ON THIN ICE!

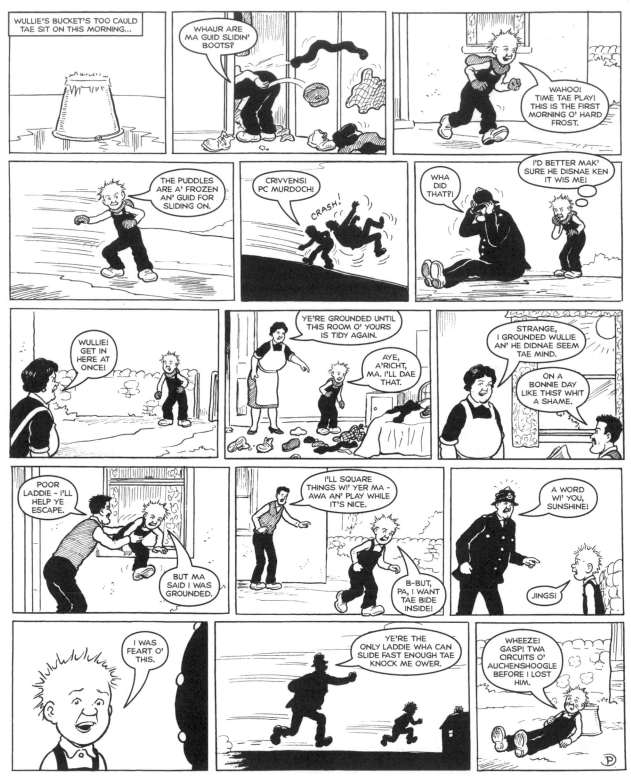

ONLY A WEE FRIENDLY PEST,
COULD GET WULLIE OOT O' A TEST!

THINGS DINNAE GO AS PLANNED
FOR MURDOCH'S MARCHIN' BAND!

AUCHENSHOOGLE'S LATEST THIEF
IS CAUSIN' WULLIE A' KINDS O' GRIEF!

WULLIE'S ACTIN' HITS A NEW HEIGHT
BUT GIES HIM AN AWFY FRIGHT!

PC MURDOCH SHOULD WATCH OOT
WI' A DEAF WULLIE SLIDIN' ABOOT!

THE WEE SCAMP PROVES AGAIN, THERE'S GOOD WULL TAE ALL MEN!

RESOLUTIONS LEAVE WULLIE TENSE
WHEN BOAB TAKE OFFENCE.

WULLIE'S OOT ON THE BEAT,
SEARCHIN' THE TOON FIR A NEW SEAT!

OOR LADDIE'S GANG HITS A STUMBLE WHEN PC MURDOCH TAK'S A TUMBLE.

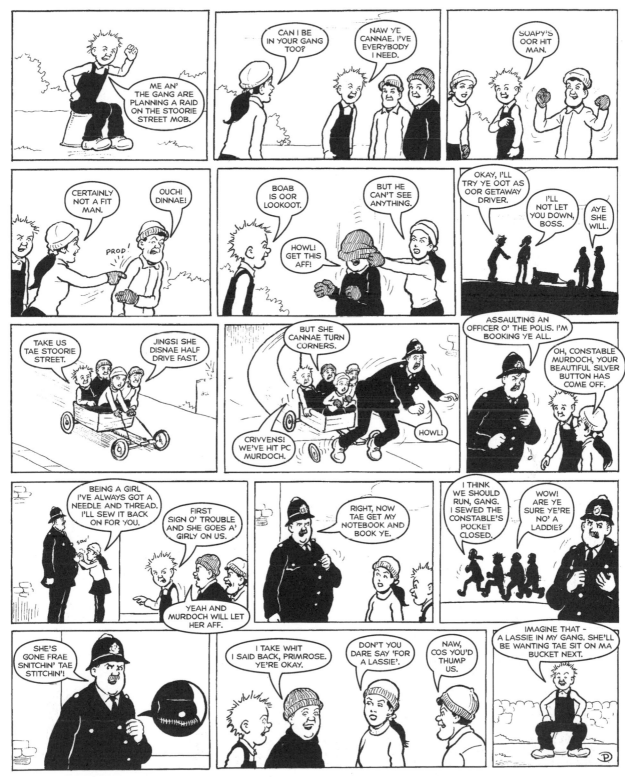

WULLIE CAN JUMP FOR JOY
'COS HE'S GOT SOMETHIN' NEW TAE DESTROY!

WULLIE PLANS A GETAWAY,
TAE AVOID THE PAIN O' VALENTINE'S DAY!

WULLIE'S TRAININ' TAE CATCH
BUT HE MICHT HAE MET HIS MATCH!

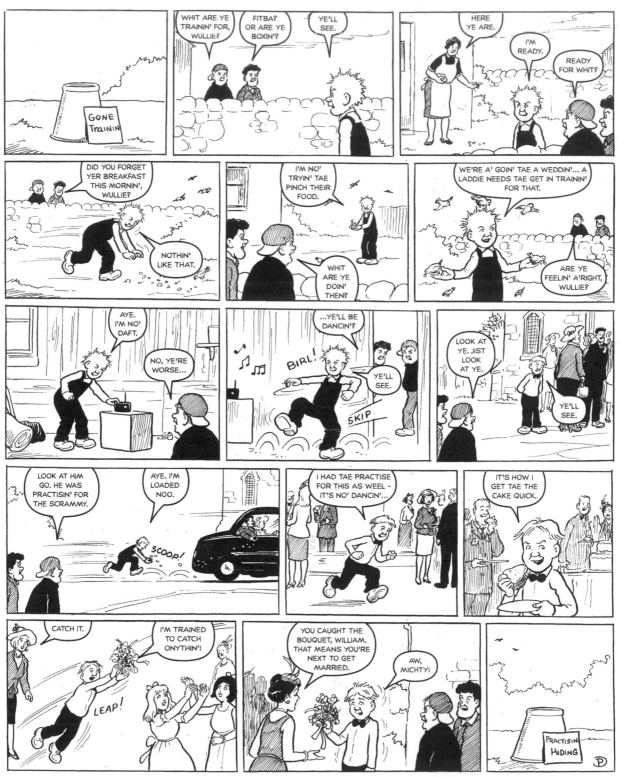

WULLIE'S TRYIN' TAE BE GOOD
BUT IT'S HARD WHEN THE NEW LAD'S RUDE!

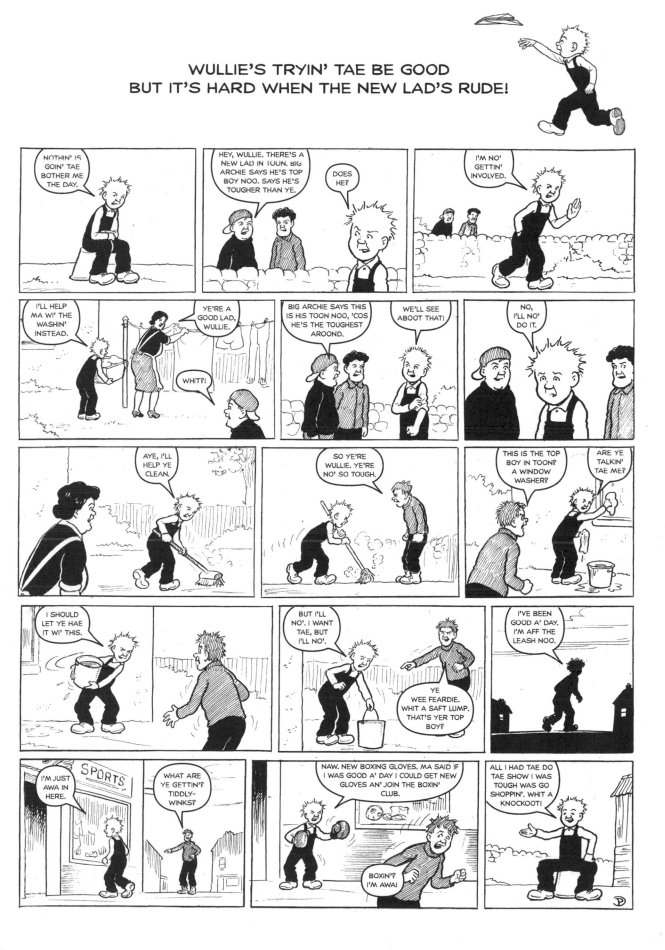

WHEN WULLIE GOES TAE TEE –
IT A' ENDS UP IN MISERY!

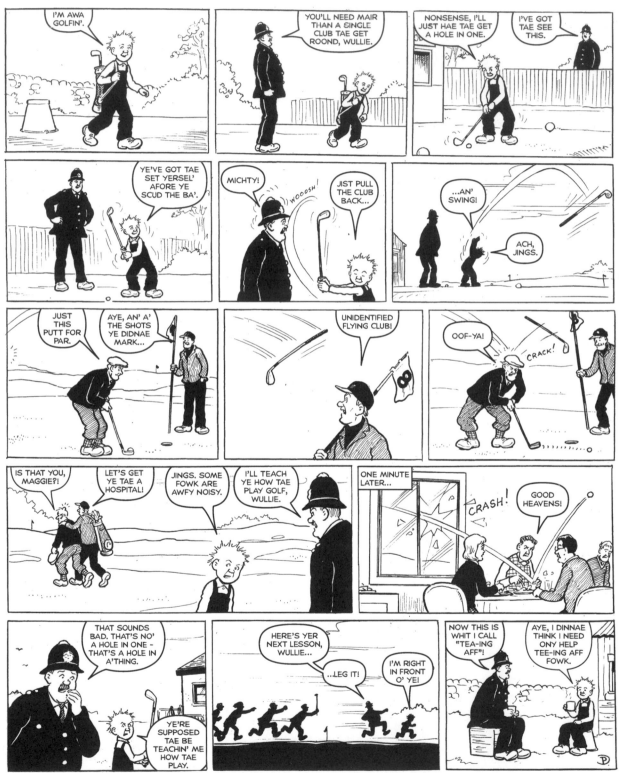

IT'S A REAL DISGRACE, IT CANNAE BE FAIR, TAE FORCE A DUG TAE LOSE HIS HAIR.

WULLIE MICHT BE BROKE BUT HE'S AWAY TAE MAK' SOME CASH FOR MITHER'S DAY.

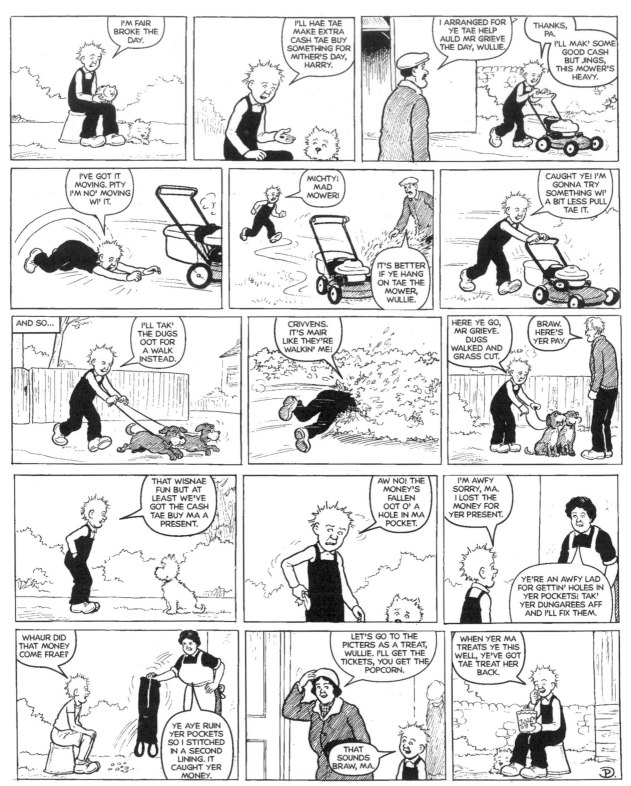

REALLY, NOW HOW HARD CAN IT BE,
FOR A LADDIE TAE ENJOY HIS TEA?

OH MICHTY, WHIT A TALE!
FLYIN' A KITE IN A GALE!

IT'S EASTER, AN' IN THIS CASE...
WULLIE'S NO' THE ANE WI' EGG ON HIS FACE!

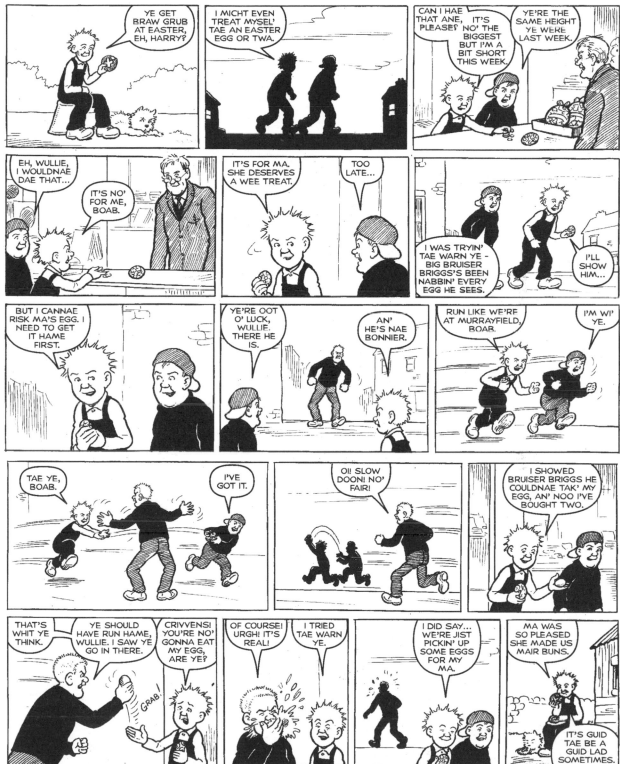

WULLIE HAS THE POWER
TAE GIE PA A HOT SHOWER.

WI'OOT A SHELTER FRAE THE RAIN, THE BEAT CAN BE AN AWFY PAIN!

HELP MA BOAB, MICHTY ME!
WULLIE DISNAE WANT HIS TEA!

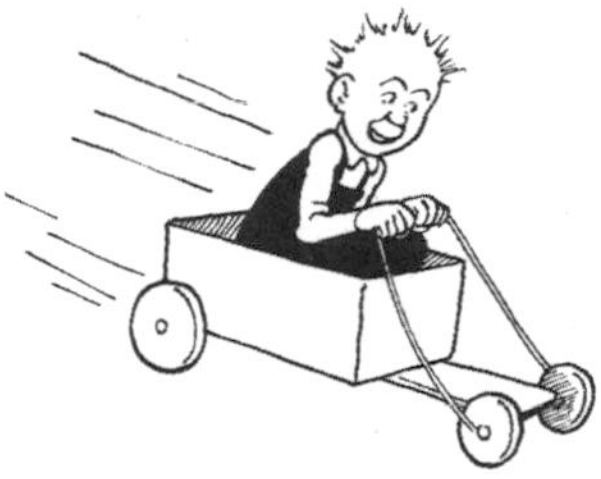

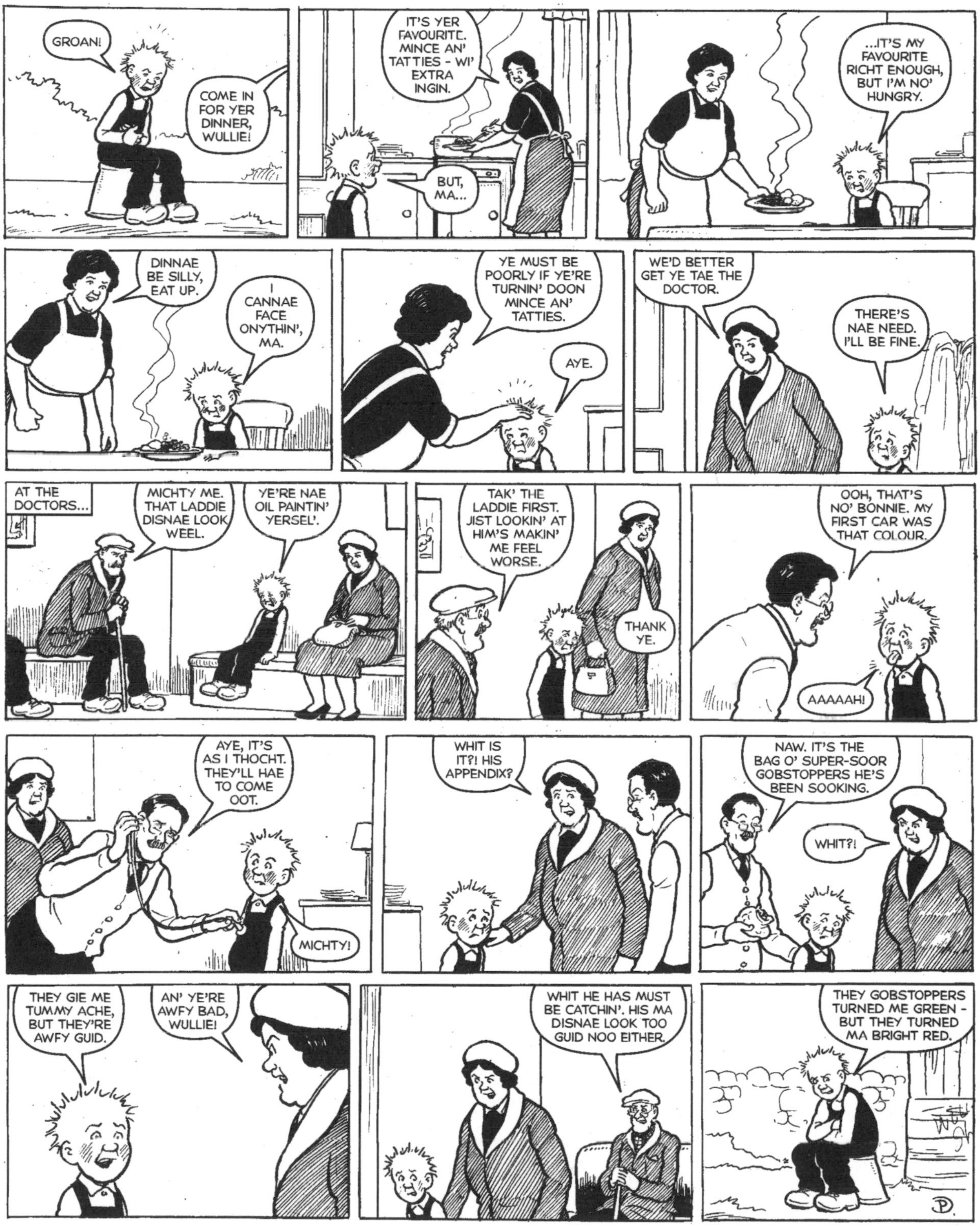

POOR WEE SOUL, WULLIE'S DREADIN' BEIN' DRAGGED TAE A SWANKY WEDDIN'!

WULLIE'S SKINT, HE NEEDS SOME CASH,
SO HE GETS A JOB AN' MAK'S A SPLASH!

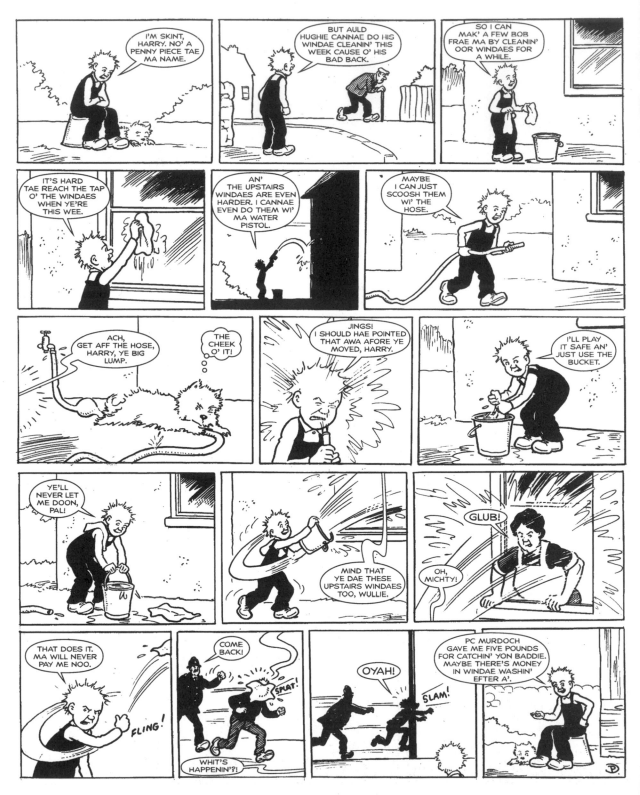

IS THERE ONYTHIN' MAIR FUN THAN GETTIN' INTAE TROUBLE WI' YER SON?

POOR WULLIE SPORTS AN AWFY GLOWER, BUT IS FITBA SEASON REALLY OWER?

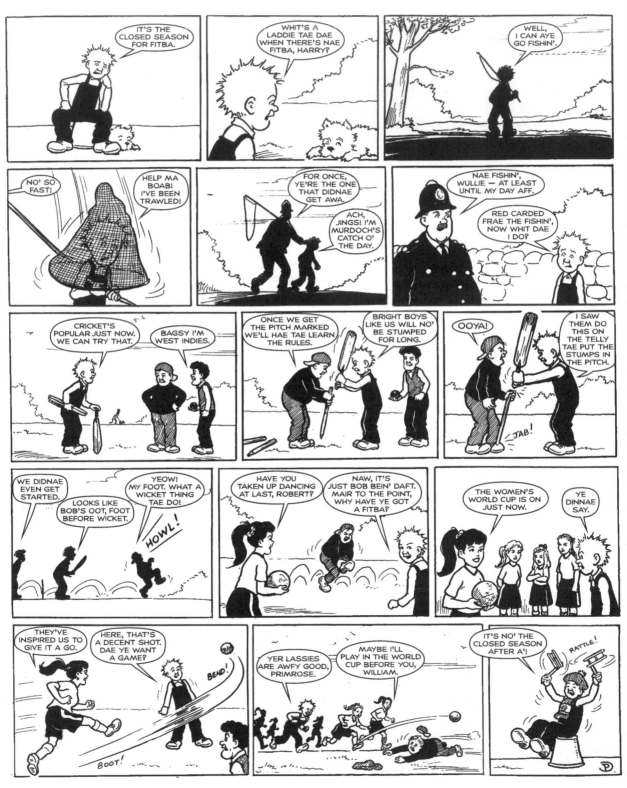

WULLIE AYE THINKS HE'S THE QUICKEST, BUT WILL HE PROVE HE'S THE SLICKEST?

WULLIE MICHT BE AWFY SKINT, BUT HE'S GOT A PLAN TAE MAK' A MINT.

POOR WULLIE WANTS PEACE AN' QUIET, BUT ENDS UP FACIN' QUITE A RIOT!

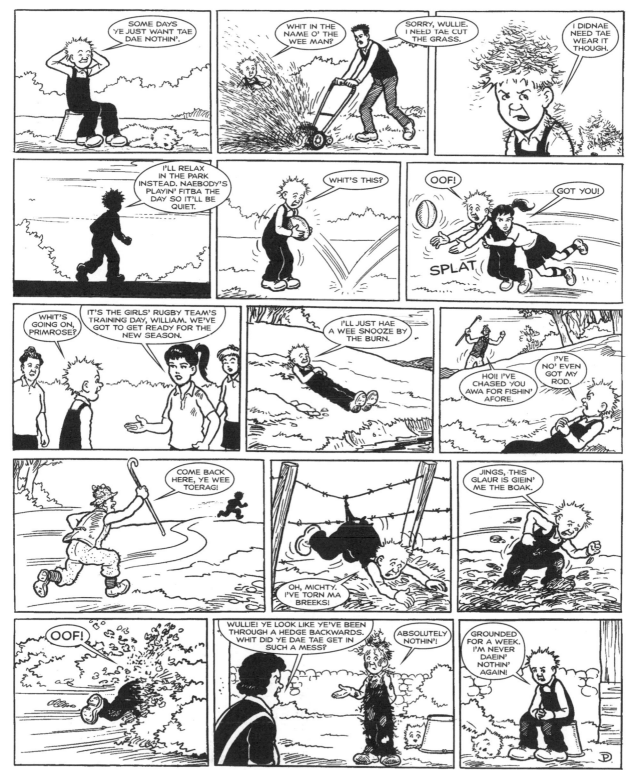

PA IS KIND, BUT REALLY IS IT – VERY WISE TAE MAK' THIS VISIT?

WULLIE'S NO' ACTIN' AS HE SHOULD,
SO PC MURDOCH THINKS HE'S UP TAE NAE GOOD!

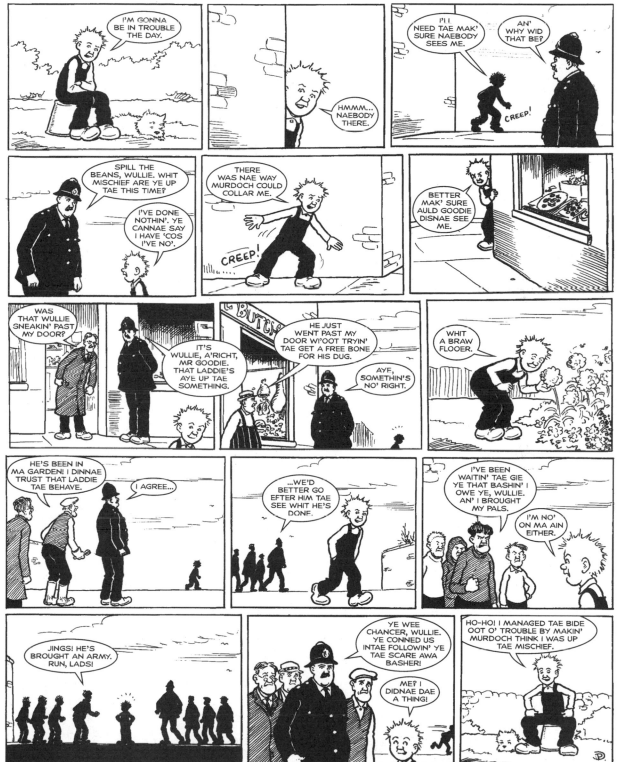

WULLIE FACES THE MUSICAL RIDDLE,
O' WHICH IS BETTER, THE MOOTHIE OR FIDDLE?

WULLIE'S TRAININ' HARD, BUT THERE'S A FLAW, HARRY'S JUST NO' PLAYIN' BA'!

POOR WULLIE HITS A BRICK WA' WHEN HE TRIES TAE WATCH THE FITBA!

YE CANNAE GET A MOMENT'S PEACE
FRAE THE NOISE O' THE POLICE!

WELL KNOCK US DOON WI' A FEATHER, WULLIE HAS TROUBLE PREDICTIN' SCOTTISH WEATHER!

WULLIE'S ON HIS BUCKET'S TRAIL,
BUT WI' THE LADS' HELP HE CANNAE FAIL!

WULLIE DISNAE THINK IT'S BRAW
WHEN HIS BUCKET'S BANNED BY LAW!

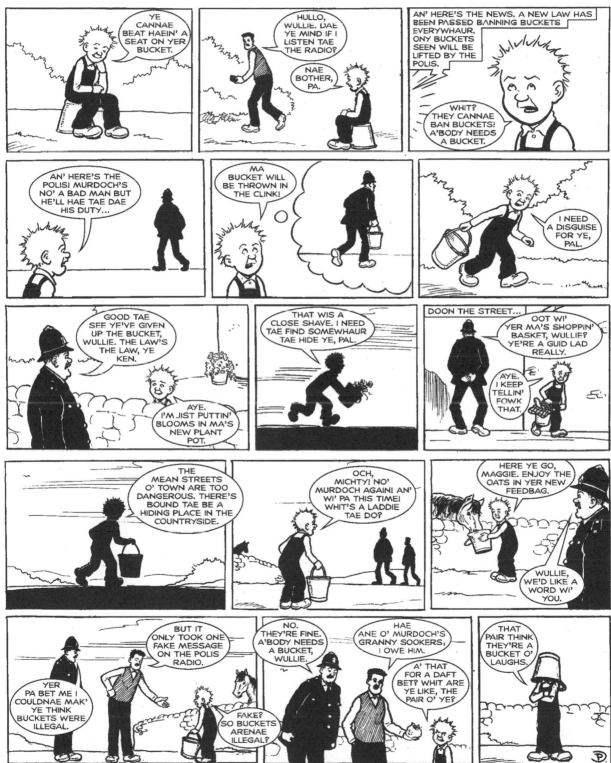

POOR BOB'S WORRIED SOMETHING ROTTEN
'COS WULLIE'S NO' DOIN' ANY SWOTTIN'!

POOR WULLIE MAK'S A MISTAKE ADMITTING HE'S GOT TOOTHACHE!

OOR WULLIE LEARNS WHEN YE GO SHOPPIN'
THERE'S NAE WAY YE'RE EVER STOPPIN'!

THE SCARIEST THING YOU COULD BE MEETIN' — IS WULLIE WHEN HE GOES TRICK OR TREATIN'.